To Ben with
love from Nanny
after her visit to
Geneva summer '18
xxx

G000144349

L'auteur
Dominique de Saint Mars

Après des études de sociologie,
elle a été journaliste à *Astrapi*.
Elle écrit des histoires
qui donnent la parole aux enfants
et traduisent leurs émotions.
Elle dit en souriant qu'elle a interviewé
au moins 100 000 enfants...
Ses deux fils, Arthur et Henri,
ont été ses premiers inspirateurs !
Prix de la Fondation pour l'Enfance.
Auteur de *On va avoir un bébé*,
Je grandis, *Les Filles et les Garçons*,
Léon a deux maisons et
Alice et Paul, copains d'école.

L'illustrateur
Serge Bloch

Cet observateur plein d'humour
et de tendresse est aussi un maître
de la mise en scène.
Tout en distillant son humour généreux
à longueur de cases, il aime faire sentir
la profondeur des sentiments.

Max est fou de jeux vidéo

Série dirigée par Dominique de Saint Mars

Imprimé en Italie
ISBN : 978-2-88445-063-8

Ainsi va la vie

Max est fou de jeux vidéo

Dominique de Saint Mars

Serge Bloch

CALLIGRAM
CHRISTIAN GALLIMARD

DZING
TIP TIP TIP

iiiiiK!
Tip
Tip
Tip
Tip
Tip

BUS
LES POTINS
POURQUOI IL FAUT DIRE NON
Tip
Tip
Tip
LES ÉCHOS
C'EST OUI, BIEN SÛR

Moi, j'ai fini X Game en 27 minutes sans utiliser de continu.
Normal, t'es un pro, mon vieux !
Peut-être, mais moi, j'ai trouvé le nuage magique et j'ai attaqué le vaisseau terrien.
Ouais, c'est la tactique classique.

Mon cousin,
il a Pollution World.
Un super graphisme
en 3D.
Je l'ai vu dans
la boutique. Et si on
allait voir s'ils ont
reçu les jeux
stratégiques ?
T'es
d'accord,
Max ? On y
va ?

C'est super cher.
Vous en vendez d'occasion ?
WINDS
SPLATCH
ZORBULG
PROUT!
STAR
MATCH

Bon, je te le prête jusqu'à jeudi, mais si tu me le perds, tu me le repaies...
T'inquiète. J'y ferai gaffe comme si c'était le mien.
TOPE
TOPE

DZIM
-TIP
TIP
TIP
WOUAF! WOUAF!

OUAH?!
TIP TIP

Moi, je veux la télé ! C'est l'heure de « Mon cœur à Santiago ».
Ton feuilleton débile !

Au moins, c'est la vraie vie, avec des sentiments, et c'est drôle ! Toi, tu n'aimes que la guerre.
Toi, tu subis, moi j'agis... je suis un héros.
DZOUING
TATATATA
DZOUINN

AH ! Tu vas voir
si je subis !...
TIP TIP TI

NON!!
CLIC !

Espèce de criminelle ! Tu m'as fait perdre au moins six vies !
Vidéo drogué !

Tu es débile,
t'es une victime, tu ne
grandiras jamais !

Je vais réussir... Aaah !
la statue se transforme
en pieuvre effrayante !
TIP
TIP
TIP

GLAGLA!...
Ouh ! la la,
elle me fait peur
cette pieuvre...

OUUAAH!
MAMAN!

Max, qu'est-ce qu'il y a ?

Pompon m'a fait peur ! Mais laisse-moi, tu me déconcentres.
DZING
TIP
TIP
TIP

J'en ai assez de ce jeu idiot ! Je vais te l'interdire.

J'irai jouer chez Tom !
Et pourquoi c'est toi qui choisirais si ça me plaît à moi ? Tu as bien tes mots croisés, toi !
TIP TIP TIP

Tu ne fais plus rien d'autre !... tu ne lis plus !... tu ne regardes plus les émissions sur les animaux !... tu ne joues plus avec Lili, tu es tout le temps énervé et tu ne fais plus de sport !
Mais je me muscle les doigts !
TIP TIP TIP

Avec cette machine, tu n'es plus avec nous !
De toute façon, tu n'as jamais le temps de jouer avec nous.

Maman, Max, voilà papa qui revient de sa montagne !

Alors, c'était bien, papa ours ?
TIP
TIP

On a réussi une première, le Nez du Géant !
Moi aussi ! Dans le 7e monde, j'ai balancé un maximum de poings d'argent à ED 209 et je l'ai éclaté.
TIP
TIP
TIP

T'es encore devant
tes jeux vidéo !

Il ne sait pas
s'arrêter !
C'est pas très
imaginatif... Moi,
quand j'étais petit,
je lisais des histoires
avec des dragons...
TIP
TIP
TIP

... je les tuais avec mon épée magique, on passait des épreuves...
Moi, c'est pareil, avec mon laser, j'envoie des boules de feu et je les explose, les monstres ! Et si je perds, j'ai une réserve de vies.
TIP
Tip

Je parie que tu n'y arriverais même pas ! les adultes sont nuls ! question de génération !

LE SOIR...

TIP TIP TIP...

TIP
TIP
TIP

À gauche...
au centre...
à droite...

Non, pas comme ça, à gauche... avec le pied, trop haut, ah, t'es mort, évidemment !
Mais qu'est-ce que tu fais là ?
TIP TIP

Tu te débrouilles bien... mais évidemment, tu ne connais pas les codes !
Bon, alors viens m'aider au lieu de discuter !
TIP TIP TIP

BIEN PLUS TARD...
Vas-y, Pa ! Maintenant !
Oh ! la, la, je vais me faire avoir, oui, non, je n'y arrive pas !
TIP TIP TIP

Vite ! vite ! attends, je vais te le faire !
Hé, c'est ma partie.

De toute façon, on n'a plus de vies !
Dur !...

Super aventure, hein Pa !...
Oui, mais ce n'est pas la vraie vie !

Je vais t'emmener en montagne... pour de vraies aventures !

Et moi, je te donnerai des leçons... T'es encore un peu nul...
mais après, tu ne me piqueras pas mon jeu tout le temps ?

Et toi...

Est-ce qu'il t'est arrivé la même histoire qu'à Max ?

Aimes-tu les jeux vidéo parce que tu es content de gagner et de toujours améliorer ton score ?

Arrives-tu à t'arrêter de jouer ou as-tu des trucs pour gérer ton temps ?

Est-ce que ça t'énerve ou ça te fatigue les yeux si tu joues plus d'une heure et trop près de l'écran ?

Tes parents t'interdisent-ils de jouer aux jeux vidéo ?
Est-ce que ça te donne encore plus envie d'y jouer ?

Joues-tu aux jeux vidéo parce que tu es souvent seul ?
Préfèrerais-tu faire plus de choses avec tes parents ?

Penses-tu que la rapidité et l'habileté sur l'écran
peuvent servir à certains métiers : pilote, chirurgien ?

Trouves-tu les jeux vidéo ennuyeux et répétitifs ?
Préfères-tu d'autres jeux, la télé, le bricolage ?

Penses-tu que ça t'empêcherait de lire, de travailler, de faire de la musique ou du sport ?

N'as-tu pas de jeux vidéo car ils sont trop chers ou parce que tes parents sont contre ?

Penses-tu que ce sont des jeux
seulement pour jouer tout seul ?

Aimerais-tu savoir comment on programme un jeu
et comment il fonctionne ?

As-tu été passionné(e) de jeux vidéo
et, un jour, en as-tu eu assez ?

Après avoir réfléchi
à ces questions sur les jeux vidéo,
tu peux en parler
avec tes parents ou tes amis.

Dans la même collection

Lili ne veut pas se coucher
Max n'aime pas lire
Max est timide
Lili se dispute avec son frère
Les parents de Zoé divorcent
Max n'aime pas l'école
Lili est amoureuse
Max est fou de jeux vidéo
Lili découvre sa Mamie
Max va à l'hôpital
Lili n'aime que les frites
Max raconte des « bobards »
Max part en classe verte
Lili est fâchée avec sa copine
Max a triché
Lili a été suivie
Max et Lili ont peur
Max et Lili ont volé des bonbons
Grand-père est mort
Lili est désordre
Max a la passion du foot
Lili veut choisir ses habits
Lili veut protéger la nature
Max et Koffi sont copains
Lili veut un petit chat
Les parents de Max et Lili se disputent
Nina a été adoptée
Max est jaloux
Max est maladroit
Lili veut de l'argent de poche
Max veut se faire des amis
Émilie a déménagé
Lili ne veut plus aller à la piscine
Max se bagarre
Max et Lili se sont perdus
Jérémy est maltraité
Lili se trouve moche
Max est racketté
Max n'aime pas perdre
Max a une amoureuse
Lili est malpolie
Max et Lili veulent des câlins
Le père de Max et Lili est au chômage
Alex est handicapé
Max est casse-cou
Lili regarde trop la télé
Max est dans la lune
Lili se fait toujours gronder
Max adore jouer
Max et Lili veulent tout savoir sur les bébés

51 Lucien n'a pas de copains
52 Lili a peur des contrôles
53 Max et Lili veulent tout tout de suite !
54 Max embête les filles
55 Lili va chez la psy
56 Max ne veut pas se laver
57 Lili trouve sa maîtresse méchante
58 Max et Lili sont malades
59 Max fait pipi au lit
60 Lili fait des cauchemars
61 Le cousin de Max et Lili se drogue
62 Max et Lili ne font pas leurs devoirs
63 Max va à la pêche avec son père
64 Marlène grignote tout le temps
65 Lili veut être une star
66 La copine de Lili a une maladie grave
67 Max se fait insulter à la récré
68 La maison de Max et Lili a été cambriolée
69 Lili veut faire une boum
70 Max n'en fait qu'à sa tête
71 Le chien de Max et Lili est mort
72 Simon a deux maisons
73 Max veut être délégué de classe
74 Max et Lili aident les enfants du monde
75 Lili se fait piéger sur Internet
76 Émilie n'aime pas quand sa mère boit trop
77 Max ne respecte rien
78 Max aime les monstres
79 Lili ne veut plus se montrer toute nue
80 Lili part en camp de vacances
81 Max se trouve nul
82 Max et Lili fêtent Noël en famille
83 Lili a un chagrin d'amour
84 Max trouve que c'est pas juste
85 Max et Lili sont fans de marques
86 Max et Lili se posent des questions sur Dieu
87 Max ne pense qu'au zizi
88 Lili fait sa commandante
89 Max décide de faire des efforts
90 Lili a peur de la mort
91 Lili rêve d'être une femme
92 Lili a la passion du cheval
93 Max et Lili veulent éduquer leurs parents
94 Lili veut un téléphone portable
95 Le tonton de Max et Lili est en prison
96 Max veut sauver les animaux
97 Lili est stressée par la rentrée
98 Max et Lili veulent être gentils
99 Lili est harcelée à l'école